汪汪队立大功儿童安全救援故事书

你好，奇异鸟

美国尼克儿童频道／著

安东尼／译

天地出版社 | TIANDI PRESS

莱德和汪汪队的狗狗们正在沙滩上开心地打排球。

"快传球啊！"路马和小砾大叫道。

这时，阿宝船长和他的朋友也加入进来。

阿宝船长说："大家好！这是我的表哥法兰索瓦，从法国来的。"

法兰索瓦开心地和大家打招呼，"我觉得排球是唯一比足球更好玩的球类，咱们一起玩吧！"

阿宝船长让表哥和汪汪队玩球，自己先离开了。

阿宝船长对莱德说："我在海湾那边发现了一只很奇怪的蓝脚鸟。如果我能把它拍下来，说不定可以登上《海鸟月刊》的封面呢！"

"祝你好运！"莱德说。

　　阿宝船长站在船上用望远镜瞭望，他发现表哥法兰索瓦跑去玩拖伞冲浪。

　　"希望法兰索瓦闹出的动静不会把我的奇异鸟给吓跑。"船长在心里想着。

突然，海象华力把头探出水面开始大叫起来。一开始阿宝船长还不明白是怎么回事，但当他顺着华力指的方向看去时，他惊喜地发现了蓝脚奇异鸟。

"它在那里！它就在我的船上啊！"船长兴奋极了。

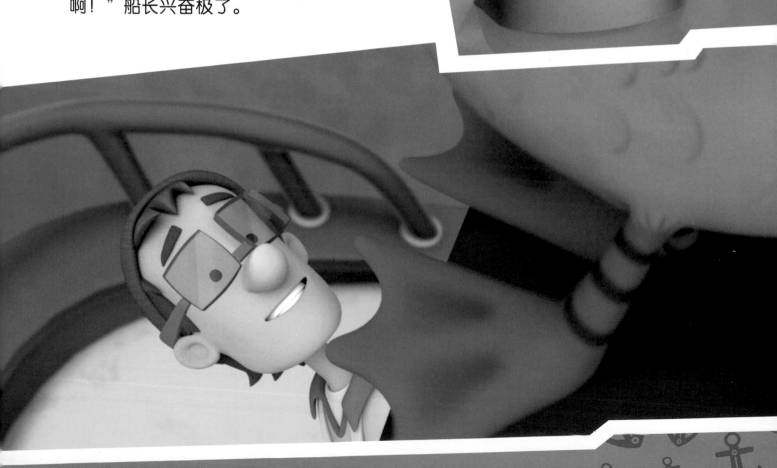

阿宝船长只顾着给鸟儿拍照，结果一不小心掉进了水里。他落水的动静实在是太大了，一下子把鸟儿给吓跑了。

"哦，不！快给我回来！"船长冲着鸟儿离去的方向大叫道。

他沮丧极了。

华力来找汪汪队帮忙，莱德和狗狗们还在沙滩上玩呢。

"嘿，华力，发生了什么事情吗？"莱德问道。

华力大吼一声，将前肢比成翅膀的形状。莱德一看恍然大悟。

莱德急切地说："是阿宝船长！他一定是发现了奇异鸟，但是他的船可能出了什么问题，我想，他现在急需我们的帮助。"

莱德拿出他的平板电脑，说道："没有困难的工作，只有勇敢的狗狗。汪汪队员们，马上到塔台集合！"

不一会儿，狗狗们在塔台集合完毕，随时准备出发。

莱德说："狗狗们，阿宝船长现在急需我们的帮助。他原本是想拍摄一只蓝脚奇异鸟的，可是他现在却在海湾遇到了危险。"

"路马，你负责用救生圈把船长救回到他的船上。"

"包在我身上！"路马回答。

"天天，你负责在空中搜寻奇异鸟的巢穴！"

"狗狗要飞上天啦！"天天回答。

莱德、路马和天天迅速赶到海湾。

"阿宝船长在那儿！"路马喊道。

莱德叫道："坚持住，阿宝船长！路马过去救你，我马上会把你的船开过来。"

路马立刻把救生圈抛向阿宝船长，并顺利地把他救到了自己的船上。

"真是太感谢你了，路马！"阿宝船长感激地说。

当路马和阿宝船长登上"比目鱼号"的甲板时，莱德和天天已经在那里等候他们了。

"我们会帮助你拍到奇异鸟照片的。"莱德说。

"太感谢你们了！"阿宝船长激动地说。

突然，法兰索瓦冲了过来，差点儿撞到他的表弟。

"放心吧，表弟，我一定帮你拍到鸟儿的照片。"

船长听了，心里隐隐觉得有些不安。

这时，天天正驾驶着直升机盘旋在海湾的上空，她仔细地搜寻着每个角落。功夫不负有心人，她终于在崖壁上发现了奇异鸟的巢穴。

"我看见奇异鸟啦！那蓝色的脚我一定不会认错的！"天天对着头盔对讲机喊道。

阿宝船长高兴地叫着："就是它！你找到了！"

　　大家惊讶地发现法兰索瓦背着他的拖伞离开了。

　　船长叫道："停下，法兰索瓦！你这样会吓到奇异鸟的！"

　　远处传来了法兰索瓦的声音："放心吧，我一定会帮你拍到照片的……"

法兰索瓦降落在奇异鸟的旁边，拿出了相机。

"看镜头，'茄子'！"法兰索瓦喊道。这时，不知怎么的，奇异鸟突然朝他冲了过来。

"你疯了吗？"法兰索瓦惊讶地叫道。

法兰索瓦一不留神便被鸟儿撞下了悬崖，幸好他及时用手抓住了崖壁。

天天发现后赶紧飞了过来，把阿宝船长垂降到了法兰索瓦的身边。

阿宝船长急切地说："快抓住我，法兰索瓦！我来救你！"

法兰索瓦叫道："救命啊，表弟！这是一只疯鸟！"

这时，只见奇异鸟用爪子重重地踩了一下法兰索瓦抓在崖壁上的手，法兰索瓦不幸掉进了大海。

幸运的是，狗狗们及时把法兰索瓦救到了船上。

阿宝船长来到了奇异鸟的面前，他温柔地说："你好，美丽的鸟儿！请问我能给你拍张照吗？"

鸟儿很开心地摆了个姿势。

"咔嚓！"

上了船的法兰索瓦，仍然在瑟瑟发抖。

"你还好吗？"船长问。

法兰索瓦打着冷战说："我，我……还好。幸亏有表弟和狗狗们。"

几天后，船长在公园里给莱德送了一件礼物。

"为了表示感谢，我把这张奇异鸟的照片送给你！"船长说。

"谢谢你！有困难就找汪汪队！"莱德说道。

汪汪队救援行动指南

海上救援行动指南

小朋友，你还记得聪明勇敢的汪汪队今天完成了什么任务吗？他们是怎么做的呢？我们一起来看今天的行动指南吧！

发现问题

 阿宝船长掉进了海里。

我有办法

用救生圈救了阿宝船长。

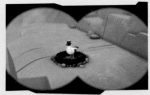

发现奇异鸟的巢穴。

把阿宝船长垂降到悬崖边。

成功啦

阿宝船长和表哥都获救了，还拍摄到了奇异鸟的照片！

汪汪队功劳榜

在这次行动中，狗狗们都很聪明勇敢，请你将狗狗与他们完成的任务用线连起来！

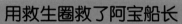 用救生圈救了阿宝船长

 发现了奇异鸟的巢穴

 把阿宝船长垂降到悬崖边

快乐排序

小朋友，你还记得这个故事都说了什么吗？下面就请你按故事发生的先后把正确的排列顺序填到括号里吧！

(　　) → (　　) → (　　) → (　　)

快乐迷宫

天天正准备驾驶直升机穿过一个迷宫，你能帮她找到走出迷宫的路线吗？

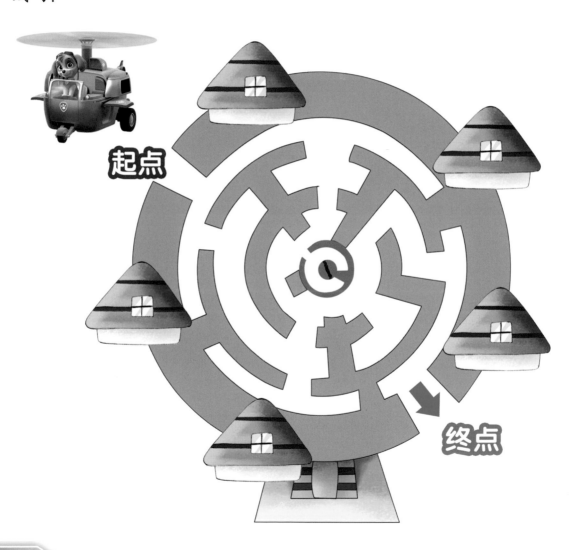

快乐涂色

小朋友，下图中的人物可爱吧！快拿起你手中的画笔，为他们涂上美丽的色彩吧！

图书在版编目（CIP）数据

汪汪队立大功儿童安全救援故事书. 你好，奇异鸟 /
美国尼克儿童频道著；安东尼译. — 成都：天地出版
社，2017.3

ISBN 978-7-5455-2365-2

Ⅰ. ①汪… Ⅱ. ①美… ②安… Ⅲ. ①儿童故事 – 图
画故事 – 美国 – 现代 Ⅳ. ①I712.85

中国版本图书馆CIP数据核字(2016)第283533号

出品策划：

网　　址：http://www.huaxiabooks.com

著作权登记号 图字：21-2017-04-13 号

你好，奇异鸟

出 品 人	杨 政	总 经 销	新华文轩出版传媒股份有限公司
策划编辑	李红珍　戴迪玲	印　　刷	北京瑞禾彩色印刷有限公司
责任编辑	陈文龙　夏 杰	开　　本	889×1194　1/20
特邀编辑	张 剑	印　　张	1.6
版权编辑	郭 淼	字　　数	10 千字
装帧设计	谭启平	版　　次	2017 年 3 月第 1 版
责任印制	董建臣	印　　次	2017 年 6 月第 3 次印刷
出版发行	天地出版社	书　　号	ISBN 978-7-5455-2365-2
	（成都市槐树街 2 号 邮政编码：610014）	定　　价	12.80 元
网　　址	http://www.tiandiph.com		